KB103253

갈매

갈매

발　행 | 2024년 01월 04일
저　자 | 윤선강
펴낸이 | 한건희
펴낸곳 | 주식회사 부크크
출판사등록 | 2014.07.15.(제2014-16호)
주　소 | 서울특별시 금천구 가산디지털1로 119 SK트윈타워
A동 305호
전　화 | 1670-8316
이메일 | info@bookk.co.kr

ISBN | 979-11-410-6419-8

www.bookk.co.kr

# 갈매

윤선강 지음

# 目次

시인들의 시인, 백석 시인께 이 책을 바칩니다.

제게 시를 쓰도록 인도한 그에게 이 책을 바칩니다.
그의 시는 시대를 앞서갔으며 별칭이 전혀 과분하지 않은 시인이었습니다. 그리 하여, 저는 이에 대한 존경심을 제 시에 담았습니다. 부디 하늘에서는 쓰고 싶은 시를 마음껏 쓰면서 행복하시길 바랍니다.
또한 제 시를 읽고 응원해준 가족들과 친구들에게 이 시집을 바칩니다. 많은 이들의 응원이 있었기에 이 시집을 쓸 수 있었습니다. 그들에게 항상 감사드립니다.

제가 마지막으로 당부드리고 싶은 말은 간단합니다.


'이 책에 들어있는 시들이 여러분의 마음을 녹일 수 있길 바랍니다.'

八    갈매

미

록

# 시골 소년과 파랑

선선한 바람
도시에선 느껴볼 수 없는
그 정겨운 느낌
그래요, 여긴 시골입니다

그리고 도시완 잘 맞지 않던
한 소년이 여기에 살고 있어요
도시의 바름과 맞지 않기에
도시의 빠름과 맞지 않기에

도시의 걱정과 불안들이
소년을 집어삼키고
소년은 주먹만도 안 한 종이배 하나로
걱정과 불안의 파도 속에서
생을 이어 나가고 있어요

잔잔함에도 불구하고
시골소년에게 도시의 파랑은
아직 힘겨운가 봐요


✝    갈매

# 시뻘건 파랑

찌릿찌릿 지끈지끈
근육통이 온몸을 감쌉니다
슬픔을 잊으려고 농구공을 튀긴 탓인지
아니면 네가 내게 준 상사병 탓인지
마음이 아픈지, 몸이 아픈지
나는 잘 모르겠습니다
그저 근육통이 온몸을 감쌉니다

태양 빛이 시뻘건 한여름날에
나는 파랑을 일으키며 달립니다
너와 내가 함께라면
이 시뻘건 여름을 파랑으로
물들일 수 있을 것만 같으니까요
너와 내가 함께라면
이 여름을 청춘으로 바꿀 수
있을 것만 같은 기분이 드는걸요

# 녹차빛 유리조각

　7월의 무더위가 기성을 부리는 여름날
　바람이 슬쩍 한 고등학교 문턱에 발을 내딛는다
　슬쩍 스을쩍 어느새 들어온 바람은 순간 학교
안을 헤집고 다닌다. 앗, 잠깐만 같이 가!


　말을 듣지 않는 장난꾸러기는
　수업을 듣다 꾸벅꾸벅 졸고 있는
　귀여운 여학생의 볼결을 스치기도 하고,
　운동장에서 얼굴이 붉어진 채로 청춘을 불태
우던
　남학생들의 땀을 가져가기도 한다


　저기 봐, 저 남학생.
　가로수 밑 벤치에 잠들었네.
　바람은 신난 듯이 순식간에
　벤치에서 잠든 남학생의 얼굴에
　녹차빛 유리조각을 드리우자

# 농구

통

통

통

튀기는 한낮의 농구공

아침 햇살을 받아


농구장 바닥을 박차고 날아올라

림에 쏙 통과시키고

흔들리는 백보드를 바라보며

그대로 바닥에 풀석


오늘따라 일요일의 아침햇살은

내 눈을 흥미롭다는 듯이 찌르고


반곱슬 머리칼도

이에 동참한다고 키득대며

눈꺼풀에 노크하네

# 무한적도

어느새 더위를 먹는 계절이 다가온다
산들산들 시원스레 불던 바람은
어느새 후텁지근하게 돌아오고

너의 두 눈동자엔
나무들의 푸른빛이 일렁인다
반사적으로 뻗는 나의 손에
너는 예상이라도 했다는 듯이

풀썩
햇빛이 나뭇잎 사이로 춤을 추며
우리에게 더윌 선사한다

올해 따라 유난히도 길어진 여름이
너와 내 온도를 알기라도 하듯
여름의 온도는 거침없이 올라간다

8월의 어느 날
너는 내게 무슨 말을 해주었을까

# 세상찬사

세상은 왜 이토록 아름다운가
정작 살아가는 것은 너무나도
고통스러운데


세상은 왜 이토록 아름다운가
봄이 문틈에서 들어올락 말락 간을 보던
늦은 2월의 아침까지도
세상은 왜 이토록 아름다운가


운이라는 이름으로
사람들을 그 어느 때보다
고통스럽게 시험하는
영악한 세상은

왜 이토록 아름다운가

# 한편의 파도가 되어

뜨거운 여름밤,
파도가 나를 휩쓸고
시원한 바닷바람이 나를 휩쓴다


나는 그 사이에서
어디로 가야 할지,
무엇을 해야 할지
여전히 방황만 하고 싶다

아무 생각없이
살아보는 것도
계획대로 딱딱
살아가는 것도

그저 나쁘지만은
않을 것 같아보여
그대로 바다에 몸을 던진다

그대로 바다에
쓸려버리고
싶은 것처럼
나는 온몸에 힘을 뺀다


둥실둥실
바다는 마치 잔잔해지고
싶은 내 마음이라도 아는 것처럼
금방 잦아든다

# 바닥상태

난 내 기대, 노력에 억눌려
바닥에 찌부러져 있었다
그 모습이 참 우스꽝스러워
나는 내 모습에 참 많이도 웃었다

하지만 바닥 상태인 이런 나를
부러워하는 게 있다. 바로 전자다.

전자는 안정하려고
바닥상태를 유지하기에
내가 부럽다고 했다
난 왜 힘도 들이지 않고
바닥상태를 유지하냐고
전자가 내게 물어왔다

난 내가 바닥상태로
있는 동안 투덜거리기만 했는데
날 부러워하는 전자가 있다

그래서 난 날 순응하기로 했다

내 기대에 내가 억눌린다면
내 기대를 내가 채우면 되고
내 노력한 양에 억눌린다면
내가 더 노력한다

이제 바닥상태를 벗어날 것이다
이제 바닥에서 붕 떠
세상을 마음껏 여행하려고 한다
이 순간을 기억해야만 한다

난 나를 이기고 붕 뜰 것이라고
난 나를 이기고 불안정해질 거라고
안정보다는 불안정을 추구하는
사람이 될 거라고

二十　갈매

# 녹 록

# 녹록

녹을 먹은 녹색 시계의
시침이 재깍재깍
녹슬지 않는 우리의 기록은
아직도 적히고 있군

녹색 빛깔로 물든 이 도시의 계절에서
우리는 무엇을 노크하고 있나
녹다운이 되어버린 우리들의 피곤 속에서
눅눅해진 여름을 봐

햇빛조차 녹여버리는 무한적도의
여름에서 우리는 무엇을 발견했을까
햇빛조차 녹여버리는 무한적도의
여름에서 우리는 무엇을 기록했을까

# ㅇㅁ

운명을 삼킨 욕망이
운명을 탓하며
나를 야마 돌게 만들고
엄마는 무슨 일이냐며
내게 물으셨네
난 답을 할 수 없었네
난 우매한 입을 닫기만 했네

우매한 나를
구제해줄 사람 어디 없나
내가 대신
원망할 사람 어디 없나
역마살이 낀 듯
가만히 있질 못하는 나를
가만히 세워둘 사람 어디 없나

# 시상

시가 그립다고
너무나 그립다고

실타래처럼
얽히고설킨 내
마음을 푼 것도

날 향한 내 증오를
게워내듯 내뱉은 것도

널 향한 나만의
말들을 적어 내려간 것도

전부 시였어
그러니 이젠
내가 시를 쓸 수 있게
좀 내버려 두라고

여긴 시의 세상이라고
여긴 나만의 허상이라고


二十四　　갈매

# 허상

대체 당신의 시선은
무얼 보는 것이오
나는 여기에 있소
당신이 그리워하고
매일 밤 애타게 부르는
나는 여기에 있소

내 글에서 나를 느끼지 마시오
나를 통해 온전히 느껴주시오
나는 언제나 당신 곁에
구애의 춤을 추며 곁에 있겠소

이상한 철학이 당신을 버려놓아도
이상한 허상이 당신을 어딘가 망쳐놓아도
나는 당신 곁에 있겠소

당신을 사랑하는 내가 그 허상에 같이
하겠소
그러니 당신은 부디
그 허상을 나에게 펼쳐주시길 바라오

二十五

# 치부

누구에게도 보이기 싫은
추잡한 나의 치부
네가 나를 볼 때
치부를 가장 먼저 떠올릴까
내 긍정적인 부분보다
치부를 먼저 볼까 봐
그런 일을 만들기 싫어
너에게만은 더 숨겨왔어

거짓들을 장작으로 삼아
활활 불타오르는
나의 치부를 볼 때면
괜히
괜히

# 무명실

이름이 없다는 건
사회에 내 자리가 한 칸조차
이름이 없다는 건
언젠가 잃어버릴 사람이라는

이름이 있다는 건
따듯한 음성, 아늑한 품에
이름이 있다는 건
이 우주에 내가 존재한다는
이름이 있다는 건
평범한 길거리에 내 발자국이

이어지지 않을 무명실이
어지간히 살고 싶었는지
어지간히 끊어지기 싫었는지
어지간히 잘리기 싫었는지
이름을 찾아가네

# 엇박자

어떤 때는
엇박이 괜찮을 때가 있다
내 삶이 엇나갔을 때 들리는
엇박도 나름 괜찮게 들린다

주르르 흘러가는 인생에서
약간의 엇박은 휘청거리겠지만
나름 재미를 준다
꽤 재미있다

여유롭게 흘러가는 노래에서
아티스트가 의도하고 낸 엇박은
날 황홀하게 만든다
의도한 엇박은 나름 황홀하다

뭐, 그래서 그런지
엇나간 우리가
잘 맞았던 거겠지만

二十八    갈매

# 전자배치

다가오는 시험 기간
그 이후로 다가오는 방학

난 시험 기간의 두려움과
방학의 해방감에 휩싸여
붕 떠 있다
안정하지 못하다
안정한 전자배치를 이루지 못한다

이대로 붕 떠올라
안정해지지 못할까 두렵다
안정하지 않은 날
안정하게 만들어줄 사람을
기다려야 할 판이다

그리고 그 사람이
내가 필요한 걸 다 가지고 있길
기다려야 할 판이다

二十九

# 가역반응

나는 너와 가역반응이라고 말하지
가역반응이기를 목이 터져라 노래하지
내가 준 만큼
네가 주기를 원하지만 알잖아
사랑은 언제나 동적평형을 이루지 않는걸


*가역반응 : 정반응과 역반응이 동시에 일어나는 반응. 서
로 주고받는 반응이라고 보면 된다.

*동적 평형 : 반응이 일어나고 있지만 정반응과 역반응의
에너지가 같아 눈에 보이지는 않는 상태.

# 문자메시지

들려오는 내 스마트폰 알림
나는 너에게서 온 알림인 줄 알고
후다닥 스마트폰을 확인했다

온 건 쓸데없는 정크메일뿐
내게 온 너의 정이 담긴 알림은
올 기미도 보이질 않았다

신경 안 쓰고 있으면 온다며
이게 그냥 읽고 답을 하지 않는 거라면
난 어쩌지
나도 모르게 날 차단한 거라면
난 어쩌지
아예 읽지도 않은 거라면
난 어쩌지

네가 보낸 알림들이
어떤 벽에 가로막혀 있는 건 아닐까
네가 아니라 내가 제4의 벽을
못 뛰어넘고 있는 건 아닐까

# 비단 향나무 꽃

비단 향나무 꽃의 꽃말이 무엇인지 아시는가요?
그래요, 꽃말을 아는 사람이 요즘 어디 있겠습니까.
비단 향나무의 꽃말은 '영원한 아름다움' 입니다.
민주화를 이룩하지 못하고 꽃잎처럼 떨어져 버린
그들이지만, 어떻습니까.
우린 그들을
기억하고,
추모하고,
사랑할 것입니다.
그들은 우리 기억 속에서 영원하도록 아름답게
그려질 것입니다. 명심하십시오.
그들은 우리,
대한민국 국민들의 심장 안에,
지금도 노력하는 우리의 안에
여전히 살아있다는 것임을 기억하십시오.

# ESS (에너지 저장 시스템)

당신은 제게서 받은 사랑을 어디에
보관하고 계십니까
어디에 제 사랑을 받아 저장하고 계십니까
어디에 받은 사랑을 저장하고 계십니까

내 저장고는 비었는데
당신의 저장고는 다 채워지기까지
얼마나 걸리나요
당신의 저장고는 지금 얼마나 무겁나요

사랑은 에너지니까 총량은 일정할 텐데
왜 내게 오는 양은 일정하지 않나요
우리가 주고받는 사랑은 왜 일정하지 않나요

나는 언제나 당신의 사랑에 고파
날 뜯어먹고 있어요
나는 언제나 늘 사랑이 고파요
당신은 어떠신가요, 늘 배부르신가요.

三十四　갈매

청

록

# ㅎㄴ

하나, 둘!  하나,둘!

해맑게 외치며 흰 눈이 가득히 내린
세상의 드넓은 설원을 혼자 애써 달려오던 너
넌 내 손을 휙 잡아채고
나는 네가 하는 행동에 놀라 털썩 자빠졌어
지금은 네가 너무 보고 싶어

지금은 볼 수 없는 미소
내 앞에서 훅 사라진 네 미소를 다시 만나기를
해님에게 간절히 빌어볼게
해님께서 혹시 들어주실지도 모르잖아?

흰 눈으로 뒤덮인 설원에
푸르던 하늘이 다시 이 세상에 찾아올 때
나는 언제나 기다릴 거야
나는 언제나 이곳에 서 있을 거야
나는 언제나 이 하늘 아래 존재할 거야

험난한 고난길들이 널 다 지나갈 때까지
한낮의 땡볕이
존재하지 않을 때까지
난 이 하늘 아래에서 언제나 서 있겠다니까
믿고 언제든 내게 돌아와줘

## ㄴ ㄴ

누니 내리는 나날들
나날이 쌓여만 가는 걱정을
삽으로 퍼담았다

넌 내게 누누히 말했다
내 걱정을 나눔으로 돌려달라고
나는 눈을 맞아 눅눅해진
내 걱정들을 바라보았다
눅눅해진 게 나를 안쓰럽게 만들었다

눅눅해진 녹의 냄새가 내 코를 찌르고
나는 넉넉한 모래시계를 거꾸로 세워
내년까지 모래시계가 이어질 수 있을까
어찌 되든 남녘의 새벽해는 남녀를 비추겠지

## ㄱㅎ

곤혹스러운 날들이
나도 모르게 지나가고
삶은 내가 생각했던 것보다
더 가혹해져만 가는구나

나를 긍휼히 여기시어
거두어주시옵소서
나를 거두어주신다면
나는 당신을 개혁시켜드리겠소
이 세상을 개혁시켜드리겠소

자, 강호를 사랑하는 이들이여
당신들이 만들어낸 가학적인 세상을
두 눈 똑똑히 뜨고 보아라
당신들이 전부 이렇게 만들어냈다

구호를 있는 힘껏 외쳐 달려라
이 가학적인 세상을 우리가 개혁하자
감히 할 수 없는 일을 우리는 해낸다
이상세계를 향해 달려가자!

# 구원자

너에게 했던
모든 설레는 이야기들


사실 그거 다 네 이야기야
네가 알아챘음 싶어서
일부러 너에게 이야기했어
그런데 넌 눈치가 없더라


그런데도 난 널 좋아했다
네가 내 구원자가 되어줬음 좋겠다 싶었어
네가 내 별이 되어줬음 좋겠다 싶었어

거리에 나가면 널 마주칠까 싶어서
인스타그램에 스토리를 남기면
네가 하트를 눌러줄까 싶어서
오매불망 하루종일 기다렸어

이럴 거면 내게 오지나 말지
잡힐 듯 안 잡히는 구원자처럼
내게 오지나 말지

# 낙(落)엽

속절없이 떨어져만 가는
깊은 오해와 질투 사이에서
우두커니 서 있다

오해의 골이 너무 깊어져
한 발만 디뎌도
훅 골 사이로 떨어져 버릴 것만 같다

그렇게 깊은 골을 떠나
나는 중력도 없이 날아가고 있다
내 몸은 마구 흩날리고
낙엽 조각들은 내 앞에서
알짱거리며 나를 열받게 한다

모든 게 아래로 떨어지는 게
정당한 세상에서 오직 나만
위로 올라가고 있다
오직 나만 하늘을 날고 있다
낙엽이 아니라
비(飛)엽이다

# 세상의 지평섬

비틀거리는 삶을 살아가며
세상을 바라보던
흔들거리는 내
시선만이 진짜인 줄만
알고 살아왔던 나

세상을 의심하기만 하고
내게 건네졌던 손을 뿌리쳐
벼랑 끝에 흔들거리며 마주 섰다

아슬아슬한 곡선으로 휘어져
나를 바라보는 세상의 지평선
나는 지평선에서 무엇을 보았는가
나는 지평선에서 무엇을 발견했는가

지평선만을 보고 달려
도착한 섬에는 나밖에 없었다
내가 그 섬의 주인이라고
되는 것 마냥 섬을 배회했다

주인이 있을 거란 생각은
꿈에도 하지 않은 채
나는 그 섬을
세상의 지평섬이라고
이름을 지어주었다

# 넌 웃을 때 제일 아름답다.

넌 웃을 때 제일 아름답다.
넌 웃는 표정이 가장 아름답다.
네가 나를 시야에서 발견했을 때,
지어주는 표정이 제일 아름답다.


밤하늘을 은하가 무리를 지어 수놓듯이,
네 웃음을 생각하며 수를 하나하나 두다 보면
아름다운 수가 내 손끝에서 탄생한다.
네 웃는 표정은 그만큼 아름답다.


그리고, 이 세계의 우리는 하나의 유의미한 삶을
살아가는 필멸자이고, 그 필멸의 삶 속에서
나는 영생을 찾고 싶다.
필멸의 삶이 끝나고 불멸의 삶이 찾아올 때,
나는 영생인 것을 그리며 반갑게 맞이하고 싶다.


그리 하여, 나는 네 웃는 표정이
내 영생이 되어주었으면 좋겠다.
네 웃음이 끊이지 않고 계속 지속되어
내 영생이 되어주었으면 한다.

어떤 연유에서든, 네 웃는 표정이
계속 지속되어 무한했으면 한다.
강산이 바뀌고, 너와 내가 걷던
달동네의 풍경이 한순간에
아파트 부락으로 변해버린다고 해도
네 웃는 표정은 항상 영원하였으면 좋겠다.


세상을 항상 긍정적으로 살아가고,
안 좋은 일이 네게 파도처럼 밀려와도
웃는 표정이 영원했으면 좋겠다.


내 크나큰 욕심일 수 있겠지만,
적어도 너만큼은
이 분노가 들끓는 세상에서
웃는 표정이 영원했으면 좋겠다.


내 세계에서.
넌 웃을 때 제일 아름답다.

# 나와 너와 유토피아와 시

픽 웃는 당신
팍 식어버린 사랑
푹 떨어지는 고개
어찌 하여 내게 이런 고난을 내리시냐고
따져 묻고 싶기만 한 마음을 간직한 채
아아 이게 정녕 신의 뜻이라면
나는 신을 저버리도록 하겠습니다

나는 내 유토피아로 휙 떠나
　　　　버린, 당신을 느껴봅니다
툭 트 투둑 끊어지는 너와 나의 믿음줄이
끊어지는 모습이 마치 뭐와 같다고
말하고 싶지만 기억이 나질 않는다고
입 안에서 빙빙 멤돌며 나오지 않는다고

# 고전시가

시

국어시간에 배우는 시
고전이라며 배우는 시
옛 선조들의 지혜라고
떠벌리며 배우는 시
옛 선조들의 허풍, 사상들을
심지어 분석까지 해가며
암기해야 하는 시


옛 선조들이 풍류를 즐긴 것을
잘난 어른들이 공부하며
보고 배우라고 교과서에 떡하니
실어놓은 고전 시가들


그렇다면 애석하게도
시험에 쫓기고 쫓겨
책 읽을 시간조차 잃어버린
대한민국의 고등학생들인
우리는 그 고전시가들을
향유한다고 할 수 있나?


우리가 고전시가를
'즐긴다'고 말할 수 있나?

# 밤낮이 바뀌어버린 그대들을 위해

불과 몇백년 전과는 달리
백열전구를 거쳐 LED전구로 승
지나쳐버려 어느덧 하루가
48시간인 것이 일상이 되어버린
현대사회의 새벽


사랑스러운 나의 이들이 대부분
잠자리에서 이상을 꿈꿀 시간에
새벽이라는 호수를 혼자 돛을 펴고
가로지르는 건 어떤 의미를 가지는가.


밤이 낮보다 더 찬란한 그대들에게
우리는 아침형 인간이라는 틀을
그대로 씌워 굳혀버리고 있진 않은가 ?


의식주를 채우기 위한 시멘트 덩어리들을
한낱 돈으로밖에 보지 않는 현대사회의
어두운 이면을 밤낮이 바뀌어버린
그대들을 상대로 치졸하고 헐벗은 채
그대로 내보이고 있지는 않은가 ?

어느새 길거리에 버려두고 만 현대사회의
복잡하고 다루기 어려운 인문학적 소양은,
아침형 인간 생활에 적응해버린 우리는
밤낮이 바뀌어버린 그대들에게
'당신들은 게으르다'고 의기양양하게
입을 놀릴 자격이 있는가 ?


우리는 그대들에게 '인생을
아침형 인간으로 살지 않으므로
당신은 게으르다'고 말할 수 있는 자격을
과연 얼마나 만족할 수 있을 것 같은가.


얼마나 많은 선입견에 가로막혀 있는지
가늠도 안 되는 그 차가운 눈빛들로
밤을 새는 그대들에게 무슨 잘못이 있다고
이리도 공격을 하고들 있는가.


나에게
밤낮이 바뀌어버린 그대들은
이 세상이 아직 인간다움을 유지할 수 있도록
있는 힘껏 애쓰는 예술가로밖에 보이지 않는군


그대들은,
새벽밤의 분위기를
그대들만의 것으로 만들어
이 세상에 내보내기에


四十九

# 블록

테트리스의 블록들이 차곡차곡
너와 나의 관계가 이렇게
잘 쌓아갔다면 얼마나 좋았을까?


너무 섣부른 탓에
내가 이성을 대한 경험이 없던 탓에
내가 감정의 소용돌이에 빠진 탓에
내가 널 두렵게 했나 봐


누가 알려라도 줬으면 좋았을걸
설명서라도 있었으면 좋았을걸
너와 나는 오랜만에
나눌 이야기가 참 많았는데
그 작고 소중한 추억들을
순식간에 덮어버린 내 속도는
너에게 얼마나 빨랐을지...
가늠조차 안 돼, 측정은 될까?


五十    갈매

그럼에도
팔로우를 끊지 않은 너에게 고마워
네가 어디에서 잘 살고 있다는
사실을 볼 수 있게 해줘서 고마워
서툰 나를 그렇게 봐줘서 고마워


너는 내 속도가 두려웠겠지
나도 내가 또 이럴까 두려워
내가 또 이상한 틈 사이에
블록을 끼워넣지 않을까 두려워
알맞은 때에 속도를 내지 못할까
너무나도 두려워 잠을 이루지 못해

# 낙원구 행복동 612번지

낙원구 행복동 612번지에
날아들어온 행복동 비둘기
아침이 온 것을 알리려는 듯
날개짓을 퍼덕퍼덕 힘차게
그러나 깃털은 떨어질 기미가 없네
깃털이 휘날릴 생각이 없네


낙원구 행복동 612번지에
노란 아이 하나가 불쑥 다가와
절망한 내게 건네는 말
이 스케치북에 양 한 마리를 그려달라고
현실을 사는 내게 내미네


나는 당연하게도 양 한 마리를
그려주었고 아이는 실망한 표정으로
나를 뚫어져라 바라보았네
그 노란 아이는 실망에 휩싸였네
무슨 이유인지는 모르겠지만
나는 고개를 숙였고 새어 나오는
눈물을 참았네

아이의 눈망울에 눈물이 그렁그렁
공허에서 바다가 새어 나오고 있네
이에 어디서 내게 실망했는지 참
알 수조차 없구나,


五十二    갈매

꾀죄죄한 노란 아이가
머물 데가 없어 보여 집에 들인다
햇빛은 단 한 줌도 들어오지 않는
이 좁디좁은 단칸방에 공허함과
노란 아이와 현실과 희망과
나와 절망과 허상과 이상과
행복동 비둘기

五十四    갈매

미

록

# 초끈이론

끝없는 지식의 열망이
이 3차원을 건너
10차원까지 다다를 때
우리는 무엇을 발견할 수 있는가?


3차원 x, y, z 좌표에서
허우적대는 우리를 볼 때면
한 차원 높으신 4차원의 그대들은
과연 어떠한 기분으로 우리들을
바라보고 있으신가?


빛이 입자로 이동할 때
난 파동으로 서서히 퍼져나가겠지
빛이 이중성을 가지지 않을 때
난 빅뱅을 향해서 한걸음, 한걸음

끈 위에서 나는 춤을 춘다


五十六    갈매

# B612

살아오면서
버려둔 것들이
그 조그만
행성에
차곡차곡
쌓여간다

버리다
중요한 것이라도
버려두었을까,
죄 없는 행성들만
뒤적뒤적거린다

어느새
그 속에 살고 있던
어린 소년의 장미도
그 소년의 노오란 목도리도
어느 한 사회인의 티끌의 양심도
주변을 다 태울 만큼 강인한 열정도
절대 찾지 못할 행복도
지천에 널려 있을 텐데
우리는 전혀 다른 곳을 보고 있다

코끼리 속에서 소화되는 보아뱀이다

# 우주비행사

우주를 떠도는 우주비행사 한 명
우주에 파묻히고 싶어
우주선의 문을 열고
우주의 품 안에 하얀
거짓 덩어리를 내던집니다

워워, 무서워하지 말아요
나는 당신 안을 떠돌아다니는
정처 없는 우주비행사 나부랭이일 뿐입니다

어느새 산소탱크에 산소가 부족해지고
컥,컥
나는 황급히 내쉬어보지만
시스템은 산소가 부족하다고
잔량만 띄울 뿐입니다

아아, 좋은 소식입니다
제 희미하던 생명줄에
생명이 자라나기 시작했군요!
내 생명을 갉아먹는 그들은
얼마나 이쁘던지,
이들은 이제 날 잡아먹으며 자라날 테죠.
내 얇은 생명줄이 부디,
양분으로써 가치가 있기를 바랍니다.

그러니 지켜봐줘,
두 눈 똑똑히
생명줄이 끊긴 채로 자유롭게
당신을 유영하는 내 모습을


五十八    갈매

# 종이비행기

어떤 관성계에서든지
물리법칙을 무시하고
중력장 안에서 등속 운동하는
너의 종이비행기

운동상태는 바뀔 생각 않고
무역풍을 타고
편서풍을 타고
열대 저기압을 따라
극으로

언젠가는 태평양 한가운데
누군가의 염원이 잠긴
보물지도일지, 아니면
작은 편지인지 모를
유리병 위에 안착하겠지

이 종이비행기를
발견한 당신은
어떤 메시지를 적고 싶으신가요?

# 빙하

북극해의 빙하가
서서히 감소하기
시작하면서 나는
부서져 나간
파편들만 만지작
손만 베인다


제트기류의
변칙적 움직임이
우리 사이에
혹한을 초래하기
전에 나는
서둘러 끓어보고 싶다
너무 뜨거워서
손만 대도 아플 만큼
서둘러 끓어보고 싶다

이상과 세상의
넓직한 온도차를
서서히 줄여나갈
생각은 가지고 있는지
빙하기가 오길
지금도 바라고 있는지
서둘러 물어보고 싶다


六十    갈매

# 중첩

중첩되고 중첩된 우리의 관계는
언제쯤이어야 끊어질 수 있는가?


양자역학적으로 서술된
이 광활함을 우주는 감당할 수 있는가
사실 우주도 작은 먼지 하나에
불과했던 게 아닌가?
우리가 중요하게 생각한 것들이
사실은 그저 그런 것들이 아닌가?
정녕 우리는 이 질문에 답할 수 있는가


사실 우리도 중첩되어
나 하나로만 존재한 게 아니지 않은가.

# 나와 별과 나


항성처럼 늘 빛나던 너
늘 사랑이란 열을
복사해줬던 너


사실은 미안해, 너에게
나는 행성이라 열을 주지 못해
네게 열을 받고만 살아왔어


나는 태어나길
사랑을 주지 못하는 사람
그 일이 어려운 게 아녔는데
사랑은 어려운 게 아녔는데


사실은 미안해, 나에게
나는 별임에도 행성인 척
모두를 속여왔어, 미안해
열이 충분했음에도 더 원했어
내가 너무 욕심이 많았어

이젠 인정할게
난 사회랑 동떨어진 게 아닌
특별한 사람이라고
세상에 단 한 명밖에 존재하지 않는
유일한 사람이라고
나만의 꿈을 가지고 열심히 달리는,
나만의 세상을 가진 한 사람이라고


괜찮아, 괜찮아질 거야
내가 날 사랑하지 않아도
내 세상
내 우주의 모든 별들은
언제나 지구 끝의 온실까지 비춰줄 거야
언제나 날 위해 존재할 거야


걷다 보면 길이 될 테니까.